KB103748

너무 애쓰지 않는 삶

40대 주부의 흔한 일상 이야기

지리산팡팡

너무 애쓰지 않는 삶

40대 주부의 흔한 일상 이야기

발 행 | 2024년 07월 11일
저 자 | 지리산팡팡
편 집 | 조경희
펴낸이 | 한건희
펴낸곳 | 주식회사 부크크
출판사등록 | 2014.07.15.(제2014-16호)
주 소 | 서울특별시 금천구 가산디지털1로 119 SK트윈타워 A동 305호
전 화 | 1670-8316
이메일 | info@bookk.co.kr

ISBN | 979-11-410-9471-3

www.bookk.co.kr

오늘도 애쓴 당신에게

응원을 담은 이 책을 드립니다.

_____ 님에게

너무 애쓰지 않는 삶

40대 주부의 흔한 일상 이야기

목차

돌아보되 후회하지 않기

충실하고 단단하게 살아가기

생각 더하기. 가족관계 그리고 돌봄

돌아보되 후회하지 않기

프롤로그

사십 대의 나이는 고민이 많은 시기이다. 적당히 나이 먹고 아는 게 많아져서 일까? 같은 사십대 중에 너무 좋은 시간이라고 말하는 사람들을 보면 부러운 마음이 앞서기도 한다. 삼십 초반에 결혼해서 아주 늦었다 생각하진 않지만, 결혼 10년 차 막내가 아직 유치원생이다. 60살이 되어도 아이가 대학생이라 아직 갈 길이 멀기만 하다.

대학 새내기 시절 2호선을 타고 통학하던 어느 날, 그동안 학교에 있어서 몰랐던 낮 시간대 사람들의 움직임을 보고 많이 놀랐다. 지하철 2호선은 동그랗게 서울을 순환하며 다니는데, 지하에서 지상으로 넘어가는 구간이 있다. 따스한 햇살이 들어오는 어느 봄날 지하철 안의 풍경은 시간이 지난 지금도 기억이 많이 난다. 그날 지하철에는 수 많은 아줌마와 아저씨가 타고 있었는데 수다스럽고 시끄러운데 생기가 넘치고 있었다. 고등학생 때까지 전혀 몰랐던 낮 시간대 학교 밖 세상의 공기였다. 그 뒤로 지하철을 탈 때마다 한동안 사람 구경에 빠져 있었다. 지금 생각해 보면 그들 눈에는 눈을 반짝이며 쳐다보는 20살 꼬마 아가씨가 오히려 예쁘고 귀여워 보였을지도 모르겠다. 그저 어리기에 싱그러운 젊음을 부러워하면서.

그 뒤로 오랜 시간이 지난 지금은 평일 낮 시간에 지하철을 탈 기회가 자주 없다. 오랜만에 약속이라도 있으면 초등학교 2학년 첫째 아이가 4교시 하교를 하는 점심 시간까지 집으로 돌아와야 하기에 늘 시간에 허덕이면서 차로 이동하는 경우가 많다. 운전하면서 보게 되는 사람들의 일상은 지하철에서 느꼈던 분위기와는 많이 다르다. 한 발짝 거리를 두고 사람들을 바라보기 때문일까. 아니면 세월이 지나 내가 때가 묻고 변해서 일까. 지금은 어릴 때보다 경제적 여유도 생겼고, 금쪽같은 자식도 얻었지만 사는 건 더 바쁘고 마음은 한없이 복잡하다.

그 시절 지하철에서 사람 구경을 좋아하던 취미는 나이가 들면서 주변에 대한 소소한 관심과 애정으로 변했다. 주변에 대한 관심은 남을 보는 것이 아니라 나 스스로를 돌아보게 하고 많은 생각을 하는 기회를 주게 된다.

육아휴직 N 년차 직장인으로 초등학생 자녀를 돌보기 위해 휴직으로 시간을 보내고 있기

에 가장 관심 있는 것은 하루하루의 일상이
다. 온전한 주부도 아니고, 온전한 직장인도
아닌 그 어디쯤에서 주부의 세계와 학부모의
세계는 흥미롭다. '나는 아니야.'라고 한 발짝
거리를 두고 주부와 직장인 어느 그룹에도 속
하지 않으며 살아가는 일상은 즐겁기도 하고
어색하기도 하다. 평일 대낮 우연히 동네에서
만나게 되는 안면이 있는 학부모들이 묻는다.

"어머! 휴가이신가 봐요?"
"네, 실은 제가 육아휴직 냈어요."

이 시간에 여기 있을 사람이 아니기에 자연스
레 건네는 인사말이다. 스스로도 평일 낮 시
간에 동네를 어슬렁거리면 어색한데, 보는 사
람들도 새로울 것이다. 대학 새내기 시절 낮
시간에 지하철을 타고 바라본 세상처럼 회사
에 가지 않고 있는 40대의 내가 온전히 맞이

하는 오전 11시의 공기는 쳇바퀴 일상에서 느끼던 것과는 많이 다르다. 인사를 건네는 학부모들도 그들의 리그에 들어온 것을 반갑게 맞아 주지만 '언젠가는 회사로 다시 돌아갈 사람, 아이와 관련된 정보를 알고 싶어 하는 사람' 이라고 생각 할 수 있겠지. 이런 속마음 때문일까? 동네에서 학부모로 인연을 만드는 일 또한 쉽지 않은 일상이다.

이런 어정쩡한 마음과 태도는 40대의 모습과 닮아 있다. 일상은 소소하고 즐거운 에피소드가 넘쳐나지만 점점 떨어지는 체력으로 힘든 부분도 많고 다양한 관심사를 꽃피우고 싶지만 막상 자신이 없다. 매일 반복되는 하루는 너무 바쁘고 할 일은 넘쳐난다. 하지만 욕심을 내면 탈이 나는 법. '너무 애쓰지 않는 삶'을 통해 하루하루를 잘 지어내는 일상, 그 자체에 집중하기로 했다.

다소 헤매면서 행복한 40대 주부의 삶, 돌아보면 분명 행복한 시기일 것이다. 힘든 시간 지나면 좀 더 편해진다는 선배들의 말처럼 너무 아프지 말고, 잘 견뎌내야 할 시기이다.

그 시작에서 바쁜 일상 중에 잠시라도 독서를 하기 위해 짬을 내어 이 책을 읽고 있는 주부들에게 우선 칭찬의 박수를 보낸다.

40대의 너에게, 나에게

벌써 사십대가 되었다. 인생의 어느 시점부터는 앞으로 40살이 될 것이고, 40대의 삶을 살아갈 것이라는 점은 알았지만 막상 닥치고 보니 언제 이렇게 나이를 먹었나 싶은 생각이 든다. 공자가 나이 40세를 '불혹'이라 했고, '불혹'쯤에는 정신을 빼앗겨 갈팡질팡하거나 판단을 흐리는 일이 없게 된다고 했다. 하지만 세상이 어디 그렇게 만만하던가. 예전보다 덜 헤매는 것 같지만 여전히 매사 어려운 것 투성이고 새로운 고민거리들도 늘어났다. 아주 늙지도, 새파랗게 젊지도 않은 나는 여전히 고단하고 힘들지만 잘 버텨내고 있는 거라고 생각해 본다. 잘 살고 있노라고, 살았노라고, 앞으로도 조금 더 애쓰라고...

직장 생활을 시작 한 지도 어느덧 10년이 훌쩍 지났다. 자의 반 타의 반으로 직장을 유지하고 있지만 짧게 일하고 싶은 욕망이 때문인지 곧 있으면 사회생활 20년 차가 될 것 같은 불안함이 있다. 정년이 주는 가치보다는 한 직장에 머물러 있다는 점에 불안이 높은 것이다. 어쨌거나 긴 세월을 한결같이 일해왔고, 밥벌이를 해 왔다는 점에 스스로 기특하기도 하다. 두 아이를 낳고 육아휴직을 통해 중간중간 숨 고르기를 하면서 흘려보낸 시간도 긴 시간 직장생활을 유지하는 데 한 몫 단단히 하기도 했고.

하지만 그 어느 때보다 직장 생활의 시련이

많은 시기가 '지금' '40대' 이다. 그나마 여자가 많고 모성보호에 적극적인 문화를 지닌 회사에 다니고는 있지만, 육아휴직으로 인한 시련이 없었던 것은 아니다. 아이들을 낳고 휴직을 반복하다 보니 업무 마무리가 안 되는 경우가 있었고, 그 때문인지 꽤 오랜 기간 근무 평가가 좋지 않았다. 아이를 낳는 시기까지 업무 마무리와 연관 지어 계획하기란 쉽지 않고, 그렇게까지 살고 싶지는 않았다. 자연스레 임신하고 출산하고 싶었고, 아이의 성장과 출산 후 몸조리를 위한 임신을 계획하고 싶었다. 지금도 출산 일정 선택에 후회는 없다. 그 덕에 당연히 동기들보다 승진에 뒤처졌고, 적당히 업무를 하는 사람으로 평가되었다. 일에만 몰두하는 싱글인 동기들에 비해 저평가받을 수 있다고 스스로를 위로하면서도 억울한 마음이 들 때가 많았다. 인구 절벽이라는 대한민국에서 아이를 둘이나 낳으면 애국자라고 하는데, 이런 이야기는 아이를 둘러업고 엘리베이터에 탔을 때 만나는 모르는 사람들이나 해주는 입에 바른말이라는 생각이 종종 들었다. 아이를 낳았다는 이유만으로 이렇게 푸대접을 받아야 하는지 속상했지만, 집에서 기다리는 아이가 있다는 것은 하던 일을 미루고 집으로 가야 하는 날이 많기 때문에 어느 정도 이해가 되기도 했다. 그렇게 세월은 흘렀고, 그야말로 직장맘으로 여기저기 '그냥 거기까지...'를 연신 외치며 버텨온 세월이었다. 시련은 있었지만 어렵게 버텨온 결과인지, 40대가 되니 적당한 직급을 가지게 되었고 관리자로 가는 길에 서게 되었다.

그런데 이게 또 보통 일이 아니다. MZ 세대를 비롯한 위아래 세대 차이 나는 직원들과 일을 하기란 여간 어렵지 않다. 월급을 상사가 주는 것은 아니지만 상사들의 눈치도 많이 봐야 하고 일을 시켜야 하는 아래 직원들 눈치도 엄청 보게 된다. 나이 많은 상사와 임원들은 도대체 '소는 누가 키우냐.'라며 열심히 쪼아대고, 무슨 일이라도 시키려고 하면 개별 면담부터 시작해야 하는 스트레스 상황의 연속이다.

"저요? 제가 해야 하나요?"
"그럼 누가 하지?"
"………"
"일단 알겠습니다."

수 많은 면담 속에 맷집도 생겨 어떻게든 일을 안 하려고 하는 직원들에게는 직언을 날리기도 한다. 어이없다는 표정을 보이는 직원이라도 있으면 혹여나 갑질 신고라도 할까 봐 심장이 쿵쾅 거리기도 한다. 그래도 일은 되게 해야 한다는 관리자의 R&R에 충실한 마음으로 매일 동공 지진을 이겨내 본다. 이런 일이 반복되다 보니 사무 공간에서의 하루하루는 너무 피곤하고, 당장 집에 가고 싶을 때가 한두 번이 아니지만 단순히 직장이 아니라 나의 생활 공간이기에 커피 한잔 먹으면서 또 버틴다. 그저 윗사람들이 시키는 일만 잘 마무리해도 칭찬받는 시절이 있었는데, 그때가 마냥 그립다. 스스로의 업무 역량도 제법 차서 '그냥 거기까지...' 하기엔 답답하다. 더 잘하는 방법을 알기도 하고, 더 잘해서 성과를 내고 싶은 마음이 드는 것도 사실이다. 이런 어중간한 마음 때문에 출근길마다 힘들고, 시간이 주는 아웃풋이 있는데 집에서 아이들이 기다리고 있어 늘 마음이 분주하다. 어렵지만 직장을 유지하고 있다는 점, 내가 벌어 쓰는 금융 치료가 주는 즐거움이 있기에 매일 정신 승리하면서 출근을 한다.

회사에서의 하루는 어떻게 버텼지만 일상의

고민은 지속된다. '언제까지 이렇게 소소한 월급 받으며 살 수 있을까?' 경제적 여유를 이루어내기 위해 나만의 부가가치를 만들어 가는 것에 고민이 많다. 먹고 싶은 커피도 부담 없이 턱턱 잘 사 먹고, 아이들 학원도 큰 걱정 없이 보내지만 파이어족의 꿈은 멀기만 하다. 이대로 늙을 수는 없다는 생각에, 노후를 대비하고자 다른 수입원을 만들고 싶어 여기저기 기웃거려 본다. "비트코인이 엄청 떡상을 했다더라, 요새 주식이 대세라더라, 월세수익 5% 물건이 있다더라." 등 주변의 이야기를 들을 때마다 흔들리지만 정작 크게 여기저기 손을 대지 못한다. 따박따박 찾아오는 월급날만 되면 이런저런 생각을 다 내려놓고 현실에 안주하게 된다. 하지만 이 글을 쓰고 있는 지금도 가장 고민되는 부분이 경제적 자유를 얻는 일이다. 어떻게 해야 할까, 어떻게 자본을 늘리고자 용기 내야 할까.

'진짜 큰일이네. 부자되어야 하는데.'

남편과의 관계도 여전히 어렵다. 남편도 비슷한 또래 인지라 회사에서도 비슷한 상황에 있다. 일도 힘들고 자리도 쉽지 않다. 인생에서 워라밸이 중요하다는 것도 알고, 그동안 학교나 회사에서 수많은 여성들을 보면서 '남자가 밖에서 돈만 잘 벌어오면 되지.'라는 생각을 하고 있지는 않는 것 같다. 그리고 아내로서 행여나 남편이 가부장적인 고리타분한 생각이 들지 않도록 꾸준하고 은근하게 '너도 가족 구성원이야!'를 머릿속에 심어주려 한다. 그렇지만 여러 가지 상황에서 어린아이들과의 일상을 유지해 나가는 데 본인도 힘들 때가 많다. 회사에서 일하는 것도 쉽지 않고, 술먹는 체력도 받쳐주지 않으니 많이 힘들어한다. 그래서일까? 신혼 때랑은 조금 다른 이유와 상황으로 서로 예민해질 때가 많다. 각자

서로 챙길 게 많아 몸이 힘드니 정신적 여유가 없어져서 일 것이다. 여유 있는 사람이 조금 더 보듬어 주면 되겠지만, 하루하루 살아가면서 매 순간 상대방을 이해하고 배려해 주기는 굉장히 어려운 일이다. 수많은 타인에게 하는 양보와 체면치레의 행동들이 남편에게는 콩알만큼 작아질 때가 많다. '가장 가까운 타인이기에, 내 몸같이 나를 알아줬으면 하는 바람이겠지...' 이 또한 나의 욕심이라는 것을 안다. 20대에 불같은 만남으로 이루어진 가정, 그리고 남편. 추억이 아니라 현생을 함께해야 하기에 늘 어려운 관계이다. 40년, 50년 부부관계를 유지하고 있는 어른들을 보면 진심으로 존경의 마음이 든다. 나와 다른 사람과 일평생을 산다는 것이 얼마나 어려운 일인가. 그 사람만 내 인생에 들어오는 게 아니라 그 사람을 둘러싼 환경이 모두 다 내 인생에 스며들기 때문에 더욱 어려운 일. 그 일을 해내고 있기에 스스로가 대견하다. 이 글을 읽고 있는 많은 기혼자들에게 부부관계를 유지하고 있다는 점 자체에 큰 칭찬을 보낸다.

어느덧 결혼 10주년이 되었다. 많이 싸웠고, 아직도 싸우고 있으며, 여전히 상대방을 이해하지 못하며 지내는 하루가 많다. 그래도 여전히 함께하고 있으며, 남편에 대한 신뢰와 응원의 마음을 가지고 한결같이 선한 눈으로 바라보고 있다. 이런 애정 어린 마음을 가지고 있다는 점에 서로를 칭찬해주고 싶다.

"그래도 남편아, 지갑과 차 키는 제발 제자리에 둡시다! 출근한 나한테 전화하면 내가 찾아주러 집으로 돌아가리?"

건강은 크게 아픈 곳은 없지만 체력이 많이 부족하다는 것을 느낀다. 건강한 체력과 단단한 정신력을 가졌다고 자부하지만 타고난 것으로만 버티기엔 어려운 나이가 되었다. 아침, 저녁 영양제를 입에 털어 넣게 되었고, 건강검진에서 재검 항목이 생겨났다. 둘째 육아휴직 후 복직을 했을 때 아토피가 심하게 생겨 집 근처 상급병원 아토피 센터에 가게 되었을 때, 엄청 속상했던 기억이 난다. 면역력이 떨어지면서 피부로 반응이 나온 것이다. 어려서부터 고운 피부에 대한 칭찬을 많이 받았던 터라 아이를 낳고 로션 하나 제대로 바르지 않던 시절을 지나 심지어 아토피로 고생을 하고 있노라니 가장 자신 있고 반짝이는 것을 통해 건강 관리에 경각심을 심어준다는 생각이 들었다. 이때부터 건강 관련 정신이 좀 들었던 것 같다. 건강 관리는 나를 위해서가 아니라, 가족들을 위해서 꼭 필요한 일이기도 하다. 당장 내가 아프면 우리 아이들, 남편, 엄마까지 누구 하나 고생하지 않을 사람이 없으니까. 특히 부모로서 커가는 아이들에게 부모의 부재를 안겨 준다는 것은 가장 큰 잘못이니까. 부모가 곁에 있어 주는 것이 가장 큰 선물이기에 커가는 아이들을 위해서 건강하게 부모의 자리를 지켜주고 싶다. 이런 마음에 동반자인 남편이 꼭 동참해 줬으면 좋겠다.

20대는 그때가 예쁜 걸 알면서 철없이 즐겼고, 30대는 자유와 규범의 어느 선에서 안전하게 행복했고, 40대는 전환기 어디쯤에서 헤매면서 행복한 시기가 아닐까 생각해 본다.

지금 살아온 만큼 더 살아갈 나에게, 너에게. 너무 아프지 말고, 너무 속상해 말고, 너무 기대하지 말고 지금처럼 살아가자고 응원을 보낸다.

무엇이든 해 내는 사람

아주 오래된 동네 친구가 승진을 축하하며 보
내준 선물이 '결국 무엇이든 해내는 사람' 이
라는 책이었다.

유년 시절의 친구를 부르는 말이 여러 가지가
있겠지만, 나는 늘 '동네 친구'란 말이 좋았
다. 그 한마디로 모든 게 설명되는 기분이랄
까. 내가 살았던, 나와 같이 학교를 다니고 정
서를 공감하며 함께 시간을 보냈던 오래된 나
의 친구. 친구들이 보기에 나란 사람은 주어
진 과제와 목표를 이루어 내는 사람이었고,

운도 좋고 학습능력도 나쁘지 않았던 지라 대체로 하고자 하는 일은 해내는 편이었다. 하지만 사실 자세히 들여다보면 절대로 그렇지 않다. 왜냐하면 그 목표가 늘 실현 가능한 수준의, 깊이에 있어 나의 임계치를 넘어서지 않는 경우가 많았다. 승진 축하로 책을 선물해 준 그 친구는 그야말로 나의 잘나가던 시절을 기억하는 동네 친구이다.

초등학교 6학년 때, 엄마는 동네 친구들이 다 가는 중학교는 애들이 엉망이라며 면학 분위기가 보다 좋다는 옆 동네 중학교로 무리해서 입학을 시켰다. 한 학년에 여덟 개의 반이 있었는데 같은 초등학교를 나온 아이가 나를 포함해서 고작 6명이었고, 모두 다른 반이 되었다. 그런 상황에서 1학년 첫 번째 중간고사에서 덜컥 전교 1등을 해버렸다. 여기서부터가 잘못이었다. 엄마와 선생님들 심지어 할머니까지 난리가 났다. 어느 날은 할머니가 다니던 제과점에서 "전교 1등이 귀댁의 손녀냐."라고 묻는 바람에, 공부 잘하는 것을 엄청 중요하게 생각했던 할머니는 신이 나서 그날 빵을 엄청 많이 사 왔던 걸로 기억한다. 하지만 나의 공부로의 우등생 시절은 중학교 때까지였다. 중학교 내내 공부를 잘했지만, 학제가 개편되면서 내신이 중요하다고 여겨 일반고를 선택했다. 그 시절 유행어인 망할놈의 이해찬 1세대였다.

하지만 반전은 고등학생 때부터 공부를 안하기 시작했다는 것이다. 크게 수면 위로 올라오는 문제를 일으키지는 않았지만 하루의 대부분 시간을 멍 때리기 하면서 가방만 들고왔다 갔다 하는 모범생 코스프레를 했다. 수능 시험은 당연히 망했고, 결국 점수에 맞추어 대학도 가고 전공도 선택했다. 당장 기숙

학원에 들어가라는 엄마의 말에, 재수 후 기대에 부응할 자신이 없었기에 현역으로 점수에 맞추어 꾸역꾸역 입학을 했다. 사실 대학교 입학 배치표를 보면서 현실을 직시하고 스스로에게 엄청 실망하고 놀랐던 기억이 난다. 그 뒤로 성인이 되어서 한참 동안 수능 날만 되면 우울했다. 학벌 콤플렉스에 시달렸던 것이다. 하지만 지금도 그 시절 나를 기억해 주며 "늘 똑똑하고 현명한 아이였다."라고 말해 주는 동네 친구들은 여전히 큰 힘이 된다.

"고맙다. 얘들아."

대학 입학 후에도 여전히 정신을 차리지 못하고 자유로운 영혼으로 휴학도 반복하고, 학사 경고도 맞았다. 졸업 후에 선후배의 만남과 같은 학과 행사가 있을 때마다 나를 꼭 부르시는 원로 교수님이 계셨는데, 잘나가는 멋진 선배로서 커리어를 뽐내고 싶어 각 잡고 이야기 하고자 하면 분위기를 팍 깨는 초치는 말을 하신다.

"후배들에게 너 방황했던 이야기 좀 해줘!"
"네가 학교에 잘 없어서 내가 전화 많이 했었잖아, 내가 전화해도 맨날 안 받고"

이런저런 방황 끝에도 신기하게 열심히 공부하고 관심이 있었던 과목이 있는데, 그게 바로 지금의 나의 밥벌이를 책임지고 있는 '가족학' 전공 과목이다.
그렇다. 나는 예전 어른들이 시집 잘 가라고 보냈다는 가정대 출신이다. 엄마의 소원이자, 안정적인 삶이 보장되는 교사가 될 수 있는 사범대도 가기 싫었고, 취업이 잘 된다는 각종 어문 계열 전공도 다 싫었는데 그때 내 눈에 들어왔던 학과가 가정학과 였던 것이다.

점수에 맞추어 진학했지만 어느 정도 마음속으로 타협이 되었던 전공이었던 것 같다. 그렇게 어렵게 다니던 대학에서 학사경고 받던 시절에도 A를 놓치지 않았던 과목이 가족학 관련 전공들인데, 사실 해당 학문은 내게는 공부가 아니라 치유의 과정이었다. 다시 일어서기 위한 노력이었고, 성장을 위한 걸음마였다.

너를 처음 만난 순간
Feat. 가족학

어려서부터 아버지의 외도로 부모님이 따로 살으셨고, 나는 반듯한 엄마와 따뜻한 외갓집 식구들의 돌봄과 사랑으로 무사히 성장했다. 엄마는 여자인 내가 가정환경 때문에 차별받을까 봐 싫다며 끝내 호적 정리를 하지 않았다. 대학생이던 어느 날 엄마가 나를 불렀다.

"이제 네가 다 컸으니 부모님 이혼 서류 정리를 하면 어떻겠니?".
"아무 상관없어요."라고 말했다.

그동안 이혼가정은 아니지만, 사실상 한부모 가족인 환경을 숨기며 살아가는 어정쩡한 상황이 싫었다. 항상 거짓말을 하고 있는 기분이랄까. 엄마는 차별받을까 봐 늘 예민했고, 학년이 바뀔 때마다 담임 선생님에게 내가 상처받지 않도록 부탁과 마음속 염려의 말을 전달했던 것 같다. 하지만 늘 그게 싫었다. 이후 대입 원서를 쓰겠다고 생활기록부를 따로 확인하던 중, 고3 때 담임이 '편부모 가정'이라고 써놓은 기록을 보고 뚜껑이 열렸던 날을 기억한다. 엄마는 편견의 뒤에서 온실처럼 키우고 싶었겠지만, 세상의 편견은 쉽사리 깨지지 않았다.

'가족학'을 배우면서 가족에 대한 많은 이해를 했다. 그리고 무엇보다 나에 대한 많은 이해의 과정을 겪었다. 결혼에 대한 환상이나 배우자에 대한 기대 또한 내가 만드는 것인

점도 대학생 시절부터 머릿속에 단단히 채워 넣었다. 그 누구보다 나답고 내 마음을 솔직히 터놓을 수 있는 배우자를 선택해야 한다는 것도 알게 되었다. 그런 점에서 지금의 배우자는 아주 따뜻하고 영악한 사람이랄까? 상반된 표현이지만 '곰 같은 여우'가 지금의 배우자다. 나의 성장 과정에 대한 어려움도 충분히 이해하고 공감해 주며 말하기 어려워하는 부분은 아낄 수 있게 배려해 주는 똑똑한 사람이다. 같이 붙어 있으면 많이 투닥거리지만, 생각하면 늘 고맙고 웃음이 나는, 그런 사람이다.

완벽한 가정도 없고, 완벽할 필요도 없는 것이 '가정'이라는 것을 배우고, 가족 관계에서의 어려움은 누구에게나 있으며, 이를 사회적으로 도와주는 것은 의미 있는 일이라는 확신을 가지고 대학교 3학년 때부터 정신 차리고 공부했다. 피 끓는 끌림으로 만나게 된 '가족학', 그 확실한 첫 만남의 기억으로 십수 년을 관련 업무를 하며 살아왔다. 몇 해 전, 장관상을 받던 날, 엄마와 남편 그리고 아이들을 모두 데리고 행사장에 갔다. 아이들이 엄마의 멋진 모습을 기억해 주길 바라는 마음이었다. 훗날 더 큰 포상을 받을 때까지 일하라는 많은 선배들의 격려 속에서 사실 그 정도면 충분하다고 생각했다. 긴긴 방황의 끝에서 마음잡고 밥벌이하게 해준 소중한 나의 '가족학'이니까.

서사의 마감

얼마 전에 아빠가 돌아가셨다는 연락을 받았다.

'차라리 아빠가 없었으면 어땠을까?'라는 생각을 한 적이 많았다. 가정환경을 설명해야 하는 순간마다 구구절절하게 설명할 필요 없이 간단하게 "아빠가 돌아가셨어요."라고 말하면 좋겠다고 생각하기도 했었다. 그리고 마침내 아빠가 돌아가셨다는 말을 전해 들었을 때 '엄마와 나를 둘러싸고 있던 가족의 서사가 마감되었구나.'라는 생각이 들었다. 40년

긴 세월을 힘들게 했던 존재가 없어졌고 미워할 사람도 없어졌다. 글을 쓰기로 마음먹었던 것도 인생을 반쯤 살아내니 온전히 내 진실한 모습과 나의 생각을 글로 쓸 용기가 생겨난 것이다.

지금의 내 나이에 이미 혼자가 된 엄마. 자신의 선택이 아닌 배신과 상처 입은 마음을 안고 혼자가 된 엄마에게는 여자로서 상상조차 할 수 없는 힘든 일이었을 것이다. 그리고 혼자 된 딸을 보게 된 할머니는 얼마나 가슴이 아팠을까.

나는 외갓집 식구들 도움을 받고 자랐다. 그 중에서도 외할머니의 영향을 많이 받고 자랐다. 어느 날 할머니가 답답한 마음에 점을 보고 오셔서는 "점쟁이가 그러는데, 네가 태어나서 부부 사이를 갈라놓았다고 하더라."라고 하셨다. 어린 시절이었지만 그 말의 의미를 바로 알아챘다. '내가 태어나서...' '나 때문인가...' 이런 마음이 들었다. 다 커서 생각해 보니 할머니가 했던 말은 아이에게 절대 해서는 안 되는 거였지만, 아마 할머니는 나를 볼 때마다 혼자된 자신의 딸이 떠올랐을 것이다. 젊은 딸이 어린아이 하나를 데리고 아등바등 살아가는 모습을 볼 때마다 안쓰럽고 속상했을 것이다. 그러다보니 그런 마음의 소리를 거침없이 툭 내뱉었겠구나 싶다.

아빠는 주기적이기도 하고 아니기도 하게 나를 만나러 왔다. 정확히 말하면 비양육부모의 면접교섭 같은 일들이었던 것 같다. 어느 날은 토마토인지 사과인지 과일을 한 봉다리 사주고 할머니 집까지 같이 걸어오다가 거의 집 근처에 다 와서 나를 혼자 들여보내며 인사를 나누었다. 뒤에 있는 아빠를 돌아보며 인사를 나누다 봉다리에 있는 과일이 떨어져서 데굴 데굴 굴렀다. 그때, 아빠의 표정과 얼굴은 기억나지 않지만 유치원 시절을 생각하면 그 장면이 오랫동안 남는다. 초등학교 때는 아빠가 새로 뽑은 '소나타' 차를 끌고 왔는데 번호가 5080이었고, 만날 때마다 '마포 돼지갈비'를 자주 사주었다. 어린 마음에 '우리 아빠는 엄청 부자인가 보다.'라고 생각했었다. 그나저나 엄마는 어떻게 아빠랑 겸상을 하면서 밥을 먹을 수 있었을까. 아빠가 돈을 잘 벌고 새로운 가정에서 잘 살아나갈 때 얼마나 배가 아프고 속이 상했을까. 소나타를 타고 셋이 가족여행 한번 가지도 못했는데 말이다. 지금의 나라면 상상할 수도 없는 엄마의 마음과 태도다.

그렇게 세월은 흘러 엄마도 나이 들고 나도 어른이 되어 가면서 아빠와의 거리는 점점 멀어져 갔다. 나이를 먹을수록 아빠란 존재가 마음의 짐이 되기 시작했다. 더 반짝이고 빛나고자 할 때마다 나의 가정환경이 늘 그림자를 드리우는 것 같았다. 사람들이랑 조금 친하거나 관계의 확장을 할 때마다 가정환경을 궁금해 하는 경우도 많았고, 그럴 때마다 구구절절 말을 해야 하는 게 자존심이 상했다. 가족에 대해서 점점 말을 아끼고 필요 이상의 말을 하지 않게 되었다. 부정할 수 없어 더 슬펐던 것 같다. 잘나가던 아빠도 사업이 어려워지면서 생활에 그늘이 지기 시작했다.

따로 사는 시간이 길어질수록 아빠는 우리의 삶과 멀어져갔고 엄마와 나는 우리만의 삶을 열심히 살았다. 아빠의 부고로 오랜 세월 가슴을 누르고 있던 커다란 돌덩이가 치워진 것 같은 마음이 솔직한 심정이다.

팥칼국수 아세요?

팥죽은 아니고 팥죽 베이스에 칼국수를 넣은 그것.

사전에는 '국물 대신 팥죽을 쓴 칼국수. 팥죽의 비중이 워낙 크다 보니 사실 칼국수라기보다는 팥죽에 (새알심 대신) 칼국수를 넣은 것에 가깝다.'라고 나온다.

아는 사람은 알고 모르는 사람은 모를 수도 있는 음식. 얼마 전에 전북 정읍에 출장을 다녀왔다. 지방 출장으로 여기저기 가보는 기회가 생길 때마다 지역 특산물도 사고, 맛집도 가본다. 가능하면 식사시간은 꼭 확보하고 움직이려 하는데, 지역 맛집을 찾아보는 재미가 쏠쏠하다.

"오늘은 뭘 먹으면 잘 먹었다고 소문이 날까?"

출장 전날 어김없이 출장지 주변 맛집을 검색해 본다. '어머나, 팥칼국수?' 반가운 음식이 눈에 띈다. 정읍 맛집으로 팥칼국수 맛집이 나온 것이다. 출장지랑 동선을 맞추어 보니 가는 길목에 있다. 이건 무조건 가야 하는 맛집이다. 그렇게 찾아간 맛집. '세상에, 허름하다.' 외관에서부터 맛집이라는 확신이 든다. 들어가기 전부터 설레인다. 어려서부터 희한하게 팥을 좋아해서 팥빵, 팥 맛 나는 아이스크림, 팥빙수 등 팥이 들어있는 음식을 좋아

했다. 최근 MZ 세대들 사이에서 할매 입맛이 유행인데, 흑임자나 팥으로 만든 음식들이 인기가 많다고 한다. 할매 입맛으로만 따지면 확실히 MZ 세대다.

팥칼국수는 나의 소울 푸드이다. 정확히 말하면 팥칼국수는 할머니에 대한 추억이고, 할머니 손맛이다. 할머니는 음식 솜씨가 좋으셨는데, 집에서 손이 많이 가는 음식을 자주 해 주셨다. 주부가 되어 보니 집에서 만두를 빚고, 국수를 한다는 건 정말 귀찮은 일이다. 팥죽은 좋아하는데 미끄덩거리는 옹심이의 식감을 싫어하는 손녀에게 할머니는 늘 칼국수 면을 따로 반죽해서 만들어 주셨다. 적당히 찰지지만 미끄덩거리지도 않고 단단한 면의 식감은 어린 시절 손녀의 입맛에 딱 맞았다. 먹성 좋은 손녀는 늘 입김으로 뜨거운 국물을 호호 불다가 어느덧 한 그릇 뚝딱하고 '추가요!'를 외치고는 했다.

할머니는 돌아가셨지만 가끔씩 팥칼국수가 생각이 난다. 가장 좋아하는 음식이 뭐냐고 물으면 세상에 넘쳐나는 수많은 맛있는 음식들 사이에서서 잠깐 고민을 하다가도 결국 팥칼국수를 말한다. 지금은 엄마가 본인의 엄마를 추억하며 할머니처럼 팥칼국수를 해주려고 하는데 솔직히 할머니의 손맛까지는 느껴지지 않는다.

초등학교, 유치원생 아들 둘은 아침밥을 꼭 먹고 등교를 한다. 워킹맘으로 등하교를 친정엄마에게 부탁했었는데 할머니가 꼭 아침을 먹여서 보냈던 습관이 몸에 고스란히 배인 것이다. 첫째가 학교에서 본인의 식탁을 그림으로 그려 왔는데 메뉴가 귀리밥, 배춧국, 계란찜, 열무김치였다. 모두 할머니가 해주는 반찬이다. 엄마가 오는 날은 할머니가 해주는 반찬으로 고봉밥을 먹는 아이들이다.

'나중에 커서 할머니 밥이 먹고 싶어서 할머니 집을 찾아갈 손주'

할머니, 할아버지에 대한 그리움과 아쉬움을 가지고 있는 신랑은 조부모와의 관계로 이런 관계를 만들어 주고 싶어 했다. 어른이 되어 바쁘고 지친 사회생활 속에서도 냄새와 맛으로 그리고 밥으로 느끼는 그리움과 추억. 나에게 팥칼국수가 할머니인 것처럼 두 아들에게 배춧국이 할머니로 기억되겠지.

충실하고 단단하게 살아가기

주부의 삶, 성실해야 한다는 것

시간이 많은 사람이 더 성실해야 한다는 것.

늦게 자면 잠이 모자라 아침에 더 자고 싶고, 술 한잔해서 기분 좋아지면 한 잔 더 하고 싶은 게 사람의 마음이다. 전업주부가 된다는 것의 가장 큰 변화는 억지로 아침 6시에 눈을 뜨지 않아도 되고, 통근 지하철에 발을 싣지 않아도 된다는 점이다. 그리고 무엇보다 모닝커피를 마시며 노동주라며 굳이 의미 부여하지 않아도 된다. 이 말은 결국 조금 느슨해져도 된다는 것이다. 전업주부가 되었다는 생각에 마음과 정신은 비록 우울하더라도 몸은 편해질 수 있다. 하지만 건강한 정신에 건강한 몸이 깃든다는 진리를 모두 알지 않는가.

첫째 아이 육아휴직, 둘째 아이 육아휴직, 그리고 지금 첫째 아이 초등기 휴직까지 휴직 3회차로서 전업주부로의 진입을 위한 적응 권태기를 겪고 있다. 이번 육아휴직의 다른 점은 다시 돌아가지 못할 수도 있고, 다시 돌아가고 싶지 않은 마음으로 임하고 있다는 것이다. 그 때문인지 더욱 마음이 바쁘다. 돌아갈 곳이 있어 잠깐 육아에 머무를 때와는 다르다. 또다시 살아 나가야 하는 절실함의 순간이다. 그런데 적응 권태기라니, 시간이 없다. 하지만 서두르면 체하는 법이니까, 노트를 꺼내고 펜을 잡는다. 매일 해야 할 일을 적는다. 회사에서 컴퓨터 모니터에 붙어 있던 수많은 메모장과 같은 거랄까? 오랜 직장 생활의 득은 시간을 나누어 쓰고, 우선순위를 정하고 하루 동안의 수많은 일을 쪼개서 하는 법을 배운 것이다. 매일 별다른 게 없을 것 같은 주부라면, 더욱이나 일상에서도 매일 해야 할 일을 정해야 하고, 매일의 루틴을 누구보다 더 나누어야 한다. 나의 나날이 의미 있는 하루하루가 될 수 있도록 해야 한다. 운동 선생님의 칭찬만으로 자존감을 회복할 일은 아니지 않은가?

오늘 메모장에 적힌 수많은 메모를 보고 있자니 한숨이 난다. 은행 적금 만기일 확인, 첫째 아이 학부모 상담, 운동 시간 변경, 첫째 아이 숙제 확인, 둘째 아이 피부과 치료, 장 보기 (쌀, 과일, 우유....), 주말 스포츠 예매 등이 주르륵 적혀 있다. 솔직히 할 일이 너무 많다. 자잘 자잘한 일들이 넘 쳐난다. 시간을 쪼개 쓰는 것에 능통한 사람이지만 성인 ADHD

가 괜히 나온 말이 아니란 생각이 든다. 오히려 이것저것 신경 쓸 일이 많은 주부가 치매는 안 걸리겠다는 생각도 든다. 주부가 되었으니 나의 하루를 직접 만들어 가는 일에 적극적이어야 한다는 생각 때문에 더 부지런을 떨고 있는지도 모르겠다. 아무것도 안 해도 되는 일상은 아무도 지켜주지 않는 일상이라는 강박이 온 것도 같다. 이 말은 오로지 나만이 지킬 수 있는 일상이다. 누구도 채찍질하지 않으며, 누구도 아웃풋을 기대하지 않는다.

그런데 참 우스운 게 자극이 적은 일상은 소소한 일에도 사람을 흥분하게 만들기도 한다. 등원 길에 인사를 하지 않는 아이의 친구 엄마를 보며, '저 사람은 왜 저럴까? 혹시 나를 싫어하나?' 등 말도 안 되는 상상을 하면서 정신을 차려야겠다고 다짐한다. 어차피 주변의 아줌마들과의 소소한 대화는 대부분 내 속을 긁는 경우가 넘쳐난다. 집 평수를 늘려갔다는 사람, 해외여행을 잊을만하면 간다는 집, 방학마다 아이 어학연수를 간다는 집, 시어머니가 아이 먹을 한우는 꼬박꼬박 보내준다는 집, 생각하면 속이 부글거리는 일이 한두 가지가 아니다. 비교하지 말고 오로지 나만의 일상을 살아가는 것에 집중해야겠다고 또 다시 다짐해 본다. 그러다 어느 날은 정신 승리도 지치는 날이 있다. 그날은 육퇴 후 와인 한 잔으로 달래는 거지 뭐...

오늘의 나의 하루는 아침 일곱 시 반에 일어나서 쌀 씻어 밥을 하고, 눈곱 낀 눈으로 남편에게 입으로만 인사하고 8시에 두 아들 아침을 먹여 제시간에 등교시켰다. 돌아와서 창문을 모두 열고 제일 먼저 세 남자의 화장실 흔적들을 박박 닦아내기 위해 화장실에 락스를 뿌린다. 여자인 내가 참아야지 하지만 화

딱지가 난다.

"쉬 싸고 물 안 내리는 사람, 500원!"
"엄마~ 형아가 물 안 내렸어."
"엄마~ 한 번만 봐주세요. 조준은 잘했어요!"
"으이구. 못 살겠다. 정말."

락스가 흔적들을 지우는 동안 청소기를 돌리고 아침 먹은 그릇 정리를 끝낸다. 모든 청소를 끝내고 어제 챙겨놓은 나의 짐들을 가지고 외출했다. 외출 장소는 익숙한 장소이다. 간단히 운동하고 샤워를 한 후에 일주일에 한번 배우는 우크렐레에서 요즘 핫하다는 비비의 '밤양갱'을 배웠다. 저녁에 아이들에게 '밤양갱'을 연주해 줄 생각이다. 어렸을 때 오랜기간 악기를 배우고 오케스트라 활동을 했었는데 그 덕인지 음악은 일상에 즐거움을 안겨주는 활동이다. 음악 수업을 마치고 기분 좋게 도서관으로 향했다. 요즘 한창 빠져 있는 글쓰기 수업 과제를 하면서 이런저런 생각에 빠져든다. 나를 돌아보고, 미래를 계획하며, 글쓰기에 재주가 있는 나를 발견하는 소중한 시간을 통해 자존감이 높아진다. 물론 글을 쓰면서 중간에 구직 사이트도 들어가 보고, 스포츠 예매 사이트로 살짝 경로 이탈도 해본다. 경로 이탈은 애교니까.

한참 글을 쓰다가 첫째 아이 하교 시간이 되어 마중을 나갔다. 아이를 학원에 보내놓고 늦은 점심을 챙겨 먹었다. 아무거나 사 먹거나 인스턴트를 먹지 않았다는 점에 스스로를 칭찬한다. 다시 아이 학원 픽업 시간에 맞추어 기다렸다가 아이와 도서관으로 왔다. 큰아이가 책을 읽는 사이 둘째 아이와 손잡고 유치원 하원을 하고 태권도 학원으로 보낸다. 이제 다시 도서관으로 가서 첫째는 자신이 좋아하는 책을 마저 읽고, 나는 글쓰기를 마무리한다. 아이들의 일정이 마무리되는 저녁 시간은 온전히 육아에만 전념해야 하는 시간이라 바쁘다. 저녁밥을 해주고, 남은 숙제를 확인해 주고, 아이들을 씻기고, 아이들과의 수다로 하루 일과를 나누고, 오지게 싸워대는 아이들을 중재해야 한다. 밤 아홉 시 전후로 아이들이 잘 수 있도록 쉼 없이 달려야 하는 시간이다.

오늘도 주부로써 하루를 알차게 보냈다. 아이들을 재우다가 같이 잠들면 나만의 시간이 없었다는 아쉬움에 화가 나기도 하지만 이 정도 알차게 시간을 썼으면 범생이로서 잘 지낸 하루이다.

반 모임, 그 어려운 걸 해내셨습니다

어머님들! 학부모 반 모임! 그 어려운 것을 해내셨습니다. 오늘도 고생하셨습니다.

"아고고, 되다."

학부모 반 모임 두 시간 다녀오면 세 시간을 침대에 누워 있어야 한다. 아이들이 새학기에 적응하는 것만큼 힘든 게 학부모의 세계에서의 새 학기 적응이다. 늘 새 학기가 되면 이번에는 쿨하게 아이 혼자 홀로 서게 하겠다고 다짐을 하면서도 어느새 학부모 반 모임 티타임 자리에 앉아 있다. 티타임 장소까지 가면서 '지금 그냥 간다고 할까?' 속으로 여러 번 되새겨 보지만, 소 여물 먹는 것보다 더 심하게 입속에서만 '저 지금 먼저 갈게요.' 라는 말이 맴돈다. '이런 못난 사람 같으니라고...' 속으로 또 머리를 쥐어박아 본다.

'그래도 이번 반 모임 학부모는 좀 다를지도 몰라.' '엄마가 혼자 다녀서 아이도 친구들이랑 못 어울리고 혼자가 되면 안 되는데...'

이런저런 자기 합리화를 하면서 적당한 웃음을 지으며 다른 자녀의 어머니들과 커피를 마신다. 저 많은 학부모 중에 한 명은 나와 비슷한 사람이 있을 거라는 기대를 하면서 이야기를 이어나가는데, 짧은 시간 동안 대화를 통해 서로를 알아가기는 쉽지 않다. 그리고 정작 엄마끼리는 잘 맞지만 아이랑 잘 맞지 않으면 성인들 관계를 이어나가기 어렵다. 학부모 관계에서 영원하다는 초등학교 1학년 학부모 모임에 다녀온 엄마가 건네는 대화에 대학생이 된 조카는 싸늘하게 답한다.

"어머머, 걔는 어디 대학 갔다더라."
"걔는 이번 방학에 누구랑 유럽여행 갔다더라."
"엄마, 나는 걔랑 1도 안 친하거든. 노 잼!"

그렇게 만들어지는 모임이 아이의 어린 시절 학부모 모임이다. 질질 끌려 다녀온 이번 학부모 반 모임도 '실패'다. 긴 시간 앉아 있었던 것 같은데 관계를 맺거나 확장한 사람은 없고, 오히려 마음은 더 멀어진다. 더불어 스스로에 대한 자괴감도 든다. '내가 문제가 있는 걸까.' 왜 이렇게 학부모 모임을 다녀오면 마음이 편하지 않고, 몸도 힘들고, 자꾸만 내

안의 동굴로 더 들어가고 싶은 것인지. 내 문제라는 생각이 들면 더 작아지고 힘들어진다. 그래도 사람들과 관계 맺기를 어려워하는 나 자신을 있는 그대로 인정하고 받아들이는 모습에 스스로 어른이라고 생각하기로 한다.

생각해 보면 학부모 반 모임에서만 유독 사람들과 관계를 맺거나 이야기하기 힘들어했던 것이 아니다. 최근 유행하는 성격유형검사 MBTI를 사회 초년생 시절에 처음으로 접하게 되었는데, 그때 검사 결과를 인정하고 싶지 않았다. 성격유형이 어느 한쪽으로 뚜렷하기보다는 모두 정 가운데 잔잔하게 모여있는 스타일인데, 이도 저도 아닌듯한 성격이란 생각에 검사 결과를 인정하기 싫었던 것이다. 그로부터 십수 년이 지나고 더 많은 정보를 통해 검사에 대해 보다 자세히 알게 되었다. 옹기종기 가운데 모여있는 성격유형은 여러 가지 상황에서 대처 능력이 뛰어난 그야말로 유연한 성격이라고 재해석하게 되었다. 하지만 나이가 들면서 확실하게 내향성이 강화되고 있다. 여러 사람 앞에서 낄 때 끼고 빠질 때 빠지는 그야말로 '낄끼빠빠'를 잘 하고 싶은 마음 때문인지 조심성이 넘쳐난다. 오래 알고 친밀한 사람들과는 훨씬 재미난 사람이지만, 초면인 자리에서는 내향성이 활짝 꽃을 피우는 것이다. 대학 새내기 시절 선배들이 군기 바짝 줄 때 쫄았던 것처럼, '동기 사랑 나라 사랑'을 외치던 사회 초년생 시절에도, 회사에서 팀장이 바뀌고 새로운 팀에 갈 때마다 긴장했던 모든 순간을 떠올려 보면 늘 마음이 어렵고 힘들었던 기억이 있다. 그런데 내향성이 강화된 지금, 하필이면 자녀의 새 학기는 매해 찾아오고 새로운 학부모도 매해 새롭게 만나야 한다. 이놈의 반 모임은 너무 자주 찾아오고, 심지어 자식과 관련된 일이라 마냥 쿨해질 수도 없다.

학부모 반 모임에서 우연히 나와 같은 결의
사람을 알아차리고 아이들도 문제없이 잘 어
울리게 되어 편한 사이가 되는 것은 어쩌면
엄청나게 작은 확률일 것이다. 그야말로 그런
관계는 인연이다. 인연에 연연하지 않는 것,
만들어진 인연을 소중하게 생각하는 것, 그것
이 매일을 살아나가는 내가 지켜가야 할 마음
아닐까.

3월. 1분기. 학부모의 세계에서 새로운 사람
들과 인사 나누느라 애쓰신 어머니들, 모두
고생 많으셨습니다.

학부모 '총회룩'
한 번 입어 봅시다

몇 해 전, 배우 고소영이 자녀의 학교 총회에 입고 갔던 옷이 화제가 되면서 이른바 총회룩에 대한 관심이 뜨거웠다. '샤넬 힙색을 맸네, 그게 얼마짜리네, 고소영도 자식 학교 갈 때는 꾸미고 가는구나.' 등 아줌마들 사이에서는 뜨거운 감자였다. 그리고 내게도 초등학교 1학년 학부모 총회 날이 찾아 왔다. 작은 키 때문에 바지 기장을 줄일 때마다 수선을 배우고 싶었던 사람인 만큼 어려서부터 패션에 관심이 많았다. 결혼하고 아이들 낳고 나의 옷을 사 입을 여유가 많이 줄어든 상황에서도 소소하게나마 패션에 대한 관심을 거두지 못하고 있다. 꾸미기를 좋아하는 사람인지라 총회 때도 당연히 꾸민 듯 안 꾸민 듯 이른바 '꾸안꾸' 느낌으로 예쁘게 차려입고 싶었다. 그리고 그날이 왔다.

오늘의 엄마들은 평상시 아이들 등하교 때 보던 추레한 엄마들이 아니었다. 그야말로 축제의 날이었다. 싱글들에게 '하객룩'이 있다면 학부모들에게는 '총회룩'이 있는 것이다. 아마 웬만한 학부모들은 3월과 4월에는 총회룩에 관심이 클 것이다. 온라인 배송일이 총회 날 이후가 되면 안 되니 그전에 모든 쇼핑을 끝내야 한다는 사명감을 가지고.

총회 날 엄마들을 보고 있자니, 웃음이 나면서도 '총회룩'이란 말은 단순히 옷을 일컫는

단어가 아니라는 생각이 들었다. 40대의 많은 주부들은 각자의 사정은 다르겠지만 초중고를 다니면서 학제에 맞추어 공부하고 대학에 진학하고 또 직업을 가지고 사회 구성원으로서의 역할을 했을 것이다. 이후 결혼을 하고, 아이를 낳고, 출산 후에 육아의 어려움에 맞닥뜨리게 되면서 여러 이유에서 전업으로 주부가 되었을 것이다. 워킹맘의 경우는 여러 사람과 자본주의의 도움을 빌어 일과 육아를 유지하며 하루하루를 살아가게 되었을 것이다.

전업주부이든 아니든, 자기를 꾸미는 것에 관심이 있든 없든, 엄마로서 자식을 키우면서 동시에 자신을 꾸준히 가꾸기는 쉽지 않다. 어떤 부분에서든 외모와 관련해서 포기하는 부분이 생긴다. 뿌리 염색에 게을러지는 모 그런 상황.

나조차 싱글일 때와 비교하면 절대적으로 외

모에 대한 시간 투자가 줄었다. 회사에 가면 화사하고 아름다운 여자 직원들이 있는데, 이들은 십중팔구 결혼 전 싱글인 어린 여직원들이거나, 아이가 고등학생 이상인 50대쯤의 여사님들이었다. 육아와 집안일, 그리고 어떻게든 월급을 받는 끈을 놓지 않으려는 30대, 40대 여자 직원들은 립스틱도 못 바르고 헐레벌떡 출근하는 직원이 많았다.

그런 그녀들에게 학부모 총회는 '오늘은 신경 좀 쓰세요.'라고 뇌 새김을 하는 날이었다. 단순하게는 내 새끼 얼굴에 '초라함'을 각인시켜서는 안 된다고 스스로에게 가스라이팅 하는 날이며, 다른 한편으로는 '나도 오늘은 좀 꾸며보자!'라고 생각할 수 있는 날이랄까? 어떻게든 직업의 끈을 놓지 않는 워킹맘은 어제 회사에 입고 갔던 옷이라도 입고 가면 되니까 좀 낫다. 하지만 5년 이상 전업으로 지내는 학부모들은 하루 입겠다고 막상 옷을 사려니 어떤 게 유행인지, 적당히 꾸민다는 게 어떤 건지 감이 안 오고, 돈이 아깝기도 하다. 그렇다고 애 낳기 전에 입었던 옷을 입는다는 건 상상도 못한다. 힘을 한껏 주고 검정 슬랙스 단추를 잠가보지만 숨을 쉴 수 없는 느낌. 골반 어딘가의 뼈가 몇 개는 더 생겼나 싶은 그야말로 뼈대가 늘어난 느낌.

이런저런 사정과 과정을 겪고 총회 날이 되었다. 그날 엄마들의 얼굴은 볼 터치 없이도 한껏 상기된 모습들이었다. 오랜만에 신은 구두에 척추가 하나씩 서 있는 것 같았다. 그리고 누군가 넉살 좋게 칭찬이라도 하면 싫지만은 않은 즐거운 날이랄까.

"어머, 언니 오늘 힘 좀 줬네. 이뿌다"
"어머머. 호호호. 그래?"

삼삼오오 걸어가는 그녀들의 모습은 생기있고 활기차 보였다.

배 불렀어요, 여행 왔어요

2002년 월드컵이 한창이던 시절을 전후로 대학을 다녔던 그 시절 우리는 어학연수, 배낭여행 등을 많이 다닌 세대다. 예전에는 비행기에 올라서 스케줄을 계획해도 큰 두려움이 없는 사람이었지만 지금은 가족여행을 가야 하기에 사전에 여러 가지 고려해야 할 것이 많다. 아이와 아이를 돌보는 사람들이 편하게 지낼 수 있는 부분을 고려해야 하며, 그 두 가지가 가장 중요한 요소이다. 그런 내가 몸은 무겁지만 속 편한, 맘 편한 여행을 다녀오기로 하고, 즉흥적으로 떠난 여행이 '둘째 아이 태교여행'이다. 사실 '태교여행'이라고 부르고 싶지도 않다. 그냥 내 몸이 임신한 상태였을 뿐.

남편은 여러 가지 이유로 내가 혼자 떠나는 여행에 대해 부정적이었지만, 혼자 가지는 나만의 시간에 적극적인 호응과 지지로, 그리고 무엇보다 가고자 하는 나의 굳은 의지로 임신 7개월에 친구와 1박 2일 오사카 여행을 떠났다. 무엇보다 가장 마음에 들었던 것은 일본에 초밥 먹으러 간다는 부잣집 사람들의 에피소드처럼, 단 하루를 위해 큰돈을 써서 여행을 간다는 것이었다. 그 자체만으로도 기분이 엄청 좋았다.

일본이라는 나라에 대해서 평소 관심이 많은 사람이 아니지만 일본 오사카는 비행시간이

짧고 안전하고 팬시한 볼거리들이 많아서 임산부 두 명이 떠나도 괜찮을 만한 곳이라고 판단했다. 여행을 함께 한 친구도 임신 6개월 차였다.

친구와 나는 다른 지역에서 비행기를 타고 출발을 했던 터라 오사카 간사이공항 입국 게이트에서 만났다. 둘다 서로 만나자마자 빵 터지고 말았다. 약속이나 한 것처럼 색만 다른 비슷한 스타일에 임부복을 입고 온 것이다. 활동하기 편한 펑퍼짐한 원피스를 입고 터져 나올 듯한 배를 조금이라도 가리고 싶어 긴 조끼를 걸치고 왔다. 누가 봐도 임산부인데 그걸 가리겠다고 조끼를 입고 온 모습이라니. 비행기 타고 여행을 왔다는 붕 뜬 마음은 우스운 서로의 모습을 보기만 해도 즐거웠고 그렇게 서서 한참을 배꼽 잡고 웃었다.

하지만 여행이 시작되자마자 우리는 둘째 임신이라 그런지 몸이 예전 같지 않다는 것을 깨달았다.

'배가 많이 나와 숨쉬기 힘들다. 주책 맞게 화장실을 계속 가고 싶다. 많이 못 걷겠다.'

하지만 멈출 수 없었다. 남편과 주변의 응원 속에서 용돈도 많이 받아왔고, 꼭 써야만 했다. 명확한 쇼핑리스트도 있었다. 백화점 두 곳을 돌아 쌍둥이처럼 또 똑같은 가방을 샀다. 오랜 친구와는 서로 알게 모르게 취향마저 비슷해져 가나 보다. 아니면 그런 우리가 만나 오랜 인연이 되었을지도. 이번에 산 가방은 집에 가서 따로 들자고 약속했다.

'나중에 만날 때 들고 올 거면 미리 카톡하기로!'

모든 쇼핑을 마치고 도톤보리 유람선을 탔다. 시원한 가을 바람을 가르는 순간, 발도 몸도 편해졌다. 나도 모르게 입에서 감탄사를 내뱉고 있었다.

"좋다."

여행에 대한 전반적인 소회는 간결하다. '좋았다, 임신 중이라 나마비루(맥주 한 잔) 한 잔 못한 것 빼고는...' 쇼핑 좋아하는 사람으로 백화점을 드나들며 명품 쇼핑을 하는 순간, 유명 백화점 식품관에서 각종 마리 김밥이며 샌드며 돈 생각 안 하고 턱턱 사 먹을 때, 도톤보리 맛집에서 술 빼고 다양한 메뉴를 맛보는 즐거움, 마지막으로 공항 라운지에서 여유롭게 호사를 누리는 순간까지 어느 한순간 곱씹어 즐겁지 아니한 순간이 없었다. 그렇게 짧고 굵게, 해외라는 물리적 거리를 통해 일과 육아와의 정서적 거리를 확보한 그날의 여행은 둘째가 유치원생인 지금까지도 생활 속에서 큰 힘이 된다. 언제 또 혼자서 툴툴 털고 여행을 가게 될지 모르겠지만 젊었고 즐거웠던 추억이다.

육아에 지친 엄마들에게 하루 이틀 정도는 아이와는 떨어져 정서적 거리를 확보할 시간을 가지길 추천한다. 한동안은 아이들에게 좀처럼 큰 화를 안 내게 될 것이다. 마음속에 나에게 눈치 게임처럼 "혼자 왔어요, 둘이 왔어요, 아이 없이 왔어요."를 외쳐보자. 아이 없이 떠나는 여행은 엄마인 그녀들에게 보다 깊은 자유의 충만함을 안겨줄 테니까.

12월생 엄마의 1월생 아이 키우기

나는 한 해의 마지막. 늦은 겨울. 눈이 펑펑
내리는 크리스마스와 연말의 로맨틱함으로
들떠 있는 12월에 태어났다.

  "12월생이라 많이 늦어요."
  "좀 어리숙하네요."

라는 말을 들어 본 기억이 없다. 부모가 되어
보니 12월생이라 분명히 느린 부분이 많았을
텐데, 엄마는 자식이 느리다고 생각해 본 적

이 없는 것 같고 그 때문인지 그런 말을 듣고 자란 적이 없다. 어른들이 중요하다고 생각하는 한글 떼기, 시계 읽기, 더하기, 빼기 등에 빠른 편이었고 심지어 키마저 초등학교 6학년에 다 커버렸으니 그 시절 엄마 입장에서 느리다고 생각할 일이 많이 없었을 것 같다. 결론적으로 '느리다.'라는 말을 듣고 자라지 않은 덕분에 요즘 부모들 사이에서 뜨거운 감자인 '자기효능감'이 높게 성장할 수 있었다.

하지만 소소하게 생각해 보면 정서적인 부분이나 행동 패턴은 조금 느렸던 것 같다. 타고난 성향도 있겠지만 분명 월령이 주는 한계도 있었을 것이다. 생각해 보니 초등학교 3학년까지는 늘 주변에서 돌봐 주던 친구들이 있었다. 오래전 학교는 마루 바닥이었고 주기적으로 왁스 칠을 했다. 선생님은 아이들이 골고루 닦을 수 있도록 앞, 뒤, 옆으로 돌아가면서 할 수 있게 방향 지시를 했었는데 늘 거꾸로 돌아서 뒤에 앉은 친구랑 얼굴을 마주 보게 되니 처음엔 웃느라 정신없던 아이들도 나중에는 뒤에서 계속 방향을 알려줬다. 새 학기에는 학급을 잘못 찾아간 적도 있었고, 친구들 모두 잘하는 공기놀이에서도 공기 알 다섯 개를 한 손에 잡지 못해 여름방학 내내 특훈을 하고 2학기 때부터 공기의 한판 세계에서 날개를 폈던 경험도 있다. 저학년까지는 이렇게 어리버리 소소한 일상이 많았다.

그래서일까. 자녀 출산 일정에 대해서는 구체적으로 1분기에 아이들을 출산하겠다고 계획했다. 감사하게도 자연임신을 통해 두 아들 모두 1분기에 태어나긴 했으나, 둘째는 겨우겨우 1분기에 골인했다. 자칫하면 12월 31일에 태어날 뻔했는데, 1월 출산에 대한 강한 의지와 모성애로 12월에는 거의 누워있는 생활을 했고 해가 바뀌자마자 출산을 했다. 이후에 비슷한 출산 스케줄을 가진 회사 후배가 있으면 갑자기 출산하지 않도록 12월에는 무조건 누워있는 와식 생활을 하라고 조언을 해대서 오지랖 좀 그만 펼치라는 선배도 있었다. 너 때문에 출산을 앞두고 자꾸만 일찍 휴직에 들어가겠다고 하는 바람에 일할 사람이 없어 힘들어 죽겠다면서...

 "죄송합니다."
 "에이~ 근데 팀장님도 좋은 것만 주고
 싶은 부모의 마음 잘 아시잖아요."

자식을 배에 품은 순간부터 어떻게든 좋은 것만 주고 싶은 게 부모 마음일 것이다. 자식이 살면서 덜 치이고 덜 아프고 좋은 친구들하고 어울리면서 좋은 것만 보게 하고 싶은 가장 솔직한 마음.

12월생 엄마가 키우는 1월생 자녀는 대리만족과 동시에 불안과 걱정의 연속이다. 물론 아이의 성향도 있지만 막상 아이를 키워보니 유아기 때 월령 차이는 분명히 존재한다. 심지어 둘째라는 자녀 순위까지 한 몫을 더해서 첫째의 어깨너머로 배우는 많은 것들이 아이를 여러 면에서 빠르고 똑똑하게 자라게 하고 있다. 덕분에 자기 주제 파악 못하는 둘째는 자기의 친구가 형의 친구들이라고 생각한다. 어떻게든 형들 사이에 껴서 놀려다 보니 신체적 차이를 이기려고 우사인 볼트보다 더 빠른 뜀뛰기와 호흡으로 다닌다. 결국 다 놀고 돌아오는 엘리베이터에서 언제나 나가떨어지고 만다.

두 아이를 각자의 친구들 그룹에서 따로 놀게 해주면 좋겠지만, 엄마는 한 명이다. 큰아이 오후 스케줄에 따라 움직이다 보니 작은아이 놀이터 스케줄을 고려해 시간을 내는 것은 쉽지 않다. 큰아이는 돈이 나가는 사교육 시장이고, 둘째는 공짜 놀이터이기 때문에 놀이터가 중심이 되기는 어렵다. 큰아이가 고학년이 되어 혼자 다니기 시작하면 그때부터 둘째를 위한 돌봄이 가능해질 수는 있겠지만 그때는 또 두 아이 학원비를 벌어야 하니 더 열심히 일해야 하겠지...

또래보다 빠른 1월생 자녀의 유아기는 스스로에게는 무엇이든 잘하고 있다는 자신감을 안겨주고, 부모에게는 어디서든 뒤처지지 않는다는 만족감을 가져다주는 것은 확실하다. 하지만 아이에게는 하반기 월령의 친구들, 또는 여러 이유에서 조금 느린 친구들과의 호흡을 맞추어 지내는 법을 배워야 하는 숙제가 남아 있다. 나의 초등학교 시절 마룻바닥 왁스 칠할 때 앞뒤로 방향을 알려줬던 친절한 친구들처럼...

그리고 부모도 마찬가지이다. 글씨를 빨리 깨우친 아이가 싫어하는 친구 이름 옆에 '똥'이라고 써놓은 쪽지를 봤다는 상대방 부모님에게 "죄송해요, 아이가 1월생이고 둘째라 많이 빨라요. 잘 지낼 수 있도록 집에서 가르칠게요."라고 고개를 숙일 줄도 알아야 한다. 하지만 나중에 아이에게 들어보니 '똥'이라고 쪽지를 건넨 아이가 수업 시간 내내 떠들어서 선생님 말이 안 들리고, 담임 선생님을 계속 불편하게 한단다. 그리고 자기가 놀이규칙을 알려주는데 못 알아듣는단다. 그렇게 싫은데 심지어 자꾸만 자기를 따라다니면서 놀자고 해서 피하면 선생님한테 이른다고 한다. 자기 딴에는 가장 나쁜 말인 '똥'이라는 단어를 색종이에 적어서 서랍에 두었던 것이다. 둘째 아이가 형들이랑 노는 게 재밌는 것처럼, 아직 어린 유치원생들에게는 학급 내에서 1월생이 형이나 오빠처럼 느껴져 재미있고 같이 있고 싶은 인기가 있는 친구인 것이다. 하지만 형과 동생이 아닌 친구 사이이고 아직 어리기에 가정에 돌아가서 부모들에게 속상하고 화난 마음을 말하고, 나랑 안 놀아주고 괴롭히는 아이로 표현되기도 하는 듯했다. 이런 이야기를 들은 부모들은 자신의 아이가 치이는 것 같아서 속상하고 상대방 아이가 못된 아이로 느껴지기도 하는 것 같았다. 아이가 치여서 속상한 부모의 마음은 충분히 이해한다. 단단한 아이가 되기까지는 시간이 걸리고, 시간이 가기를 기다리는 부모의 마음은 애가 타니까.

그런데 빠른 아이를 나쁘게 보고 심지어 부모들 사이에서 아이에 대한 부정적 견해를 어필하는 부모에 대해서는 화가 난다. 아이의 세계에서 어른의 세계로 선을 넘어온 느낌이랄까. 아이들은 아무렇지 않은데 어른들 사이에서 일어나는 스트레스 상황이다.

부모님의 철저한 통금시간 때문에 남자친구 못 사귀고 연애 못 하고 선 못 넘었던가? 통금시간 있어도 할 거 다 하고, 심지어 결혼도 했지 않는가. 오히려 통금시간 있어서 연애 못 한다는 친구들에게 그거 때문인 거 맞냐고 훈수를 두지는 않았는지.

실제로 첫째 아이를 키울 때 비슷한 경험이 있었는데, 아이한테 험한 말을 많이 해서 아이가 집에 와서 전달한 적이 있었다. 어린아이가 말이 거칠다고 생각했는데, 아이가 크게 동요되는 것 같지는 않아서 나쁜 말을 자꾸 하면 선생님께 말씀드리라고 했다. 그리고 정기 학부모 상담의 시간에 선생님한테 이런저런 상황을 말하면서 혹시 반복적으로 거친 상황에 노출이 될까 봐 걱정스럽다고 말했다. 이 말을 들은 유치원 선생님이 앞으로 자세히

보겠다고 했고, 그다음 해 다른 반으로 배정이 되었다. 아마 그때의 상담내용과 그동안의 아이들 성향을 고려해서 반영해 주시지 않았을까 추측만 하고 있다. 하지만 같은 초등학교에 다니는 지금도 돌봄교실에서 만나는 사이이고, 특별히 친하지도 안 친하지도 않는 학교 친구 사이로 아무 일 없이 지내고 있다.

많은 일 들을 직접 해 보아야 아는 것이지만 모든 것을 해 볼 수는 없고, 느끼고 경험할 수도 없다. 학군지에 들어와 사는 많은 부모들은 아이를 위한 좋은 환경에 관심이 많고, 양육과 관련된 것들에 욕심이 있는 사람들이 많을 것이다. 그 덕에 비슷한 결의 부모들을 만나게 되고 동 집단에 대한 안정감을 느끼게 되지만, 지나친 관심과 사랑이 집단 내 불편을 주고 있는 것은 아닌지 매번 생각해 볼 필요가 있다. 혹시 내 자식 잘 키우겠다고 남의 가정에 상처를 주고 있지는 않은지 말이다.

12월생 자녀가 있는 주변의 학부모가 카카오톡에 뜬 내 생일을 알게 되면서 물었다.

"살면서 12월생이라서 안 아쉬우셨어요?"

12월생이 '느리다' 라는 것을 잘 느끼며 크지 못했고, 키우면서 12월생이라 아쉬워하는 엄마의 얼굴을 보지 못했으며, 오히려 이듬해 1, 2월에 태어난 친구들은 재수해도 현역이겠다고 부러워했다.(실제로 예전에는 1분기 태어난 아이들의 한 해 빠른 입학이 흔했다.) 대학원 연구실 절친들이 모두 12월 현역이라 연말을 기념하며 생일파티를 하면서 그 날 우리는 한바탕 웃음보가 터졌다.

"우리 부모님들은 시기 안 따지고 너무 사랑했나 봐."

1월생이 영원히 빠른 것도 아니고, 12월생이 영원히 느린 것도 아니다. 조금 빠른 1월생이 어울려 배려하며 살아갈 수 있도록 공감 능력을 키우고, 12월생이 마음 상하는 일에 삐뚤어지지 않고 단단한 인격체로 클 수 있도록 지켜보며 가르쳐 주는 수밖에.

에필로그

아이의 킥보드를 들고 뛰던 어느 날, 이 짐을
언제까지 들어야 하나 싶었다. 아이를 낳고
아기 띠를 매기 시작한 순간부터 짐은 점점
늘어갔다. 행복도 늘어갔다. 그래도 가장 잘
한 일이 무엇이냐고 묻는다면 언제나 주저 없
이 '내 새끼를 낳은 일'이라고 말한다. 자식이
주는 행복이 이토록 큰데 육퇴하고 나서 왜 자
꾸만 맥주를 한 캔씩, 두 캔씩 따는 것인가. 맥
주 한 모금 넘길 때 상쾌함이란. 광고모델보다
더 청량하게 소리 낼 수 있을 것 같다.

　"캬!"

아이를 키우는 일에 몰두할수록 혼자만의 시간이 그립고, 그 시간이 소중하다. 하지만 그 시간은 그냥 주어지는 것이 아니라 짬을 내야만 나온다. 하루를 조각내어 쪼개야만 나오는 틈이다. 자유부인이라는 말이 괜히 나온 게 아닐 텐데, 주부가 되고 아이를 키우면 그만큼 메어있는 것이 많아서 자유롭지 못하다는 의미이다. 가끔씩은 지친 일상에 마음을 비우고자 퇴근하는 남편과 바톤 터치의 하이파이브를 하고 저녁 아홉 시부터 자유부인 시간을 가졌다. 다음날의 육아를 위해 신데렐라처럼 12시가 되면 집으로 가야 하는 몸이기 때문에 친구랑 만나는 순간부터 일 분 일 초를 아껴 시간을 보낸다. 어린아이들 취향에 맞지 않고 다칠까 봐 못 가는 숯불고기집, 곱창집, 마라탕집도 가고 분위기 좋은 바에 가서 와인도 한 잔 마신다. 친구랑 나누는 대화에도 결국 아이들 학원이나 정보를 공유하는 내용이 꼭 들어가기는 하지만 아이들의 찡얼대는 소음에서 자유롭게 오로지 음식과 사람에게만 집중하는 시간 자체가 주는 행복이 크다. 소소하게 가졌던 자유부인의 시간처럼 모든 것을 너무 길게 보지 않고 짧게 짧게, 중간중간 쉬어가며 숨 고르기를 하며 지냈기에 아직은 지치지 않고 40대의 나날들을 살아가고 있는 것이겠지.

보수적이고 규범에 엄격한 사람이라면 아이를 잘 키워야 한다는 마음과 주어진 임무를 수행해야 한다는 생각 때문에 육아와 회사, 그리고 가정생활에 몰입하기 쉽다. 손사래를 치면서 "아이고, 대충 살아요."라고 말하지만 이미 당신은 '나 지금 잘 하고 있는 거겠지?' '잘해야 할 텐데...'라는 걱정을 하고 있을 것이다.

매사 내적 갈등이 심한 후배가 입이 툭 튀어나와 고민을 털어놓는데 쿨 하게 답했다.

　"일을 하면서도 아이를 잘 키우고 싶은데
　제대로 못할 것 같으니 아예 안 해버리는
　것 같아요."
　"됐어, 그냥 해."

아이가 커가면서 좋은 경험 많이 시켜줘야 하는데 맨날 동네 죽순이로만 지내는 것 같아서 답답하다는 말을 덧붙였다. 박물관이든 미술관이든 아이에게 체험을 시켜주려고 하면 예약도 쉽지 않고 미리부터 일정을 다 짜야 해서 너무 벅차다는 것이다. 이미 아이에게 물고 빨고 사랑을 주면서 아이도 큰 사고 없이 잘 크고 있는데 더 잘하려고 하다 보니 답답한 거니까 그냥 쉽게 생각하라고 했다.
아이는 유모차를 타다 어느새 킥보드를 타고

네발자전거를 타다가 부모보다 더 큰 두발자전거를 타게 되는 과정을 겪게 되는데, 부모는 그저 유모차를 끌어주고 킥보드를 들어주고 자전거 헬멧을 씌워주고 두발자전거 뒤를 잡아주는 것이 역할이고, 그 비싼 탈 것들을 사주고 무거운 짐을 실어 나르는 것만으로도 충분히 잘하고 있는 것이라고 말했다.

젖먹이를 키워내고 조금씩 나만의 시간이 생기고 나를 돌아보는 40대의 내가 맞이하는 지금이 인생에서 반짝이는 시간이라는 것을 본능적으로 느끼고 있다. 혹시 내일이 오늘보다 더 빛나지 않더라도 분명 반짝이는 황금 터널을 지나고 있는 소중한 40대의 오늘이다. 오늘도 고민이 많은 수많은 언니, 동생, 친구들. 주부로 살아가는 그대들.

'당신은 잘 하고 있다. 당신이 있는 곳이 어디든 이미, 오늘도, 여전히 잘하고 있다.'

다시 한번 긍정의 메시지를 보낸다.

생각 더하기. 가족관계 그리고 돌봄

가족관계 그리고 돌봄

가족의 상황은 시간이 지나면서 변화하고, 이에 따라 가족관계도 달라진다. 사람은 태어나서 부모의 돌봄을 통해 성장하고, 본인의 혼인을 통해 자녀를 돌본다. 그리고 마지막에는 자신을 낳아준 부모를 돌보게 되는 경우도 있다. 가족은 혈연관계로 이루어진 집단으로 그 누구보다 소중하고 가깝지만 그만큼 어려운 관계인 것이다. 그 과정에서 가족원 간에 어떤 방식으로든 돌봄을 한다는 것은 결코 쉽지 않다.

"네가 낳은 자식은 네가 키워야지."

당연한 말이지만 요즘 세상에 정말 어려운 일이다. 그래서인지 2022년 합계 출산율*은 0.78명으로, 2013년 1.19명 대비 65% 수준에 불과하다. 자식을 낳는다는 것은 단순히 출산을 의미하는 것이 아니라 한 사람을 돌보는 일이고, 숨 쉬는 한 인격체를 온전히 키워내야 하는 일이다. 대학 시절부터 가족과 부모 역할에 대한 공부를 하면서 "내가 자식을 낳아서 잘 키울 수 있을까?" 하는 두려움이 컸다.

그렇다면 혼인율**은 또 어떤가? 혼인율도 2023년 기준 3.8건으로, 2014년 6건 대비 63% 수준으로 출산율보다 감소세가 더 크다. 주변에서 '요즘 참 밥 먹고 살기 힘들다.' 라는 말을 많이 듣는다. 실제로 매일 밥상을 차리면서 물가가 많이 올랐다는 것을 느낀다. 경제적 여유라는 것은 정신적 여유에 영향을 미치기에 하루하루 사는 게 빠듯한 상황에서 스스로를 챙기는 자기 돌봄도 어렵다. 이 때문인지 결혼을 통한 관계의 확장 및 배우자를 포함한 타인을 돌보는 일은 젊은 세대들에게 회피하고 싶은 일 중 하나일 수 있다.

*합계 출산율 : 가임 여성(15~49세)에게 기대되는 1명당 평균 출생아 수
**혼인율 : 1년간 인구 1,000명당 혼인 건수

실제로 자식을 낳아보니 몸도 마음도 여간 힘든 게 아니다. 아이가 어릴 때는 건강하고 안전하게 키우고자 온 힘을 쏟았다면, 자라면서는 기초 학습은 물론 사회 규범 속에서 온전한 사람으로 자랄 수 있게 도와주는 조력자 역할을 해야 한다. 결혼을 해 본 사람, 자식을 낳아 본 사람이 조금은 다르다고 하는 게 바

로 이 점이다. 결혼을 하고 자녀를 키우면서 매일 내 맘대로 되지 않는 많은 것들을 경험하고 있기 때문이다. 그런데 자식을 돌보는 일이 끝나지 않고 영원하다면 얼마나 힘들까. 자녀가 성년이 될 때까지만 잘 돌봐야지 싶은데, 대학 졸업도 못 하고 취준생으로 방구석에 있으면 '저 새끼를 내 배 아파서 낳았나.'라고 속에서 천불이 난다. 그래도 취업 못 하는 자기 속이 더 힘들겠지 싶어 밥이라도 잘 챙겨주려다 보니, '곧 있으면 내 나이가 60살인데 뭐 하는 짓인가?'라고 매일 자기 갈등과 연민의 연속이다.

어렵게 취업해서 돈을 좀 버나 싶더니 이제는 결혼을 한단다. 그러다 애를 낳더니 맞벌이 안 하고 살기 힘든 세상이라며 손주를 돌봐 달라고 한다. 전생에 무슨 죄를 지어서 자식들을 끝없이 돌봐야 하나 싶은데, 열심히 살겠다는데 안타까운 마음이 든다. 더불어 다른 사람 손에 손주를 맡기자니 눈에 밟혀서 노인으로 가는 길목에서도 돌봄의 끈을 놓지 못하는 경우가 많다. 그래도 결혼 못 하고 캥거루족으로 사는 친구 아들을 생각하면 훨씬 낫다고 생각하면서 손주를 돌봐 주기로 한다. 그런데 나이는 못 속인다고 여기저기 안 아픈 데가 없고, 내 맘대로 손주를 키울 수도 없어 자식들 눈치가 보인다. 마음도 힘들고 몸도 힘든 돌봄의 굴레는 계속된다.

그렇다면 자식의 입장에서 부모와의 관계는 어떨까? 사랑과 정성으로 키워준 고마운 사람이지만 부모에게서 벗어나고 싶은 자식도 많다. 어렸을 때는 부모가 세상의 전부였지만, 점차 한 사람의 인격체가 되어가면서 부모를 이해하지 못하는 경우도 많다. 본인의 자식인 손주를 부모님에게 맡기며 가족관계

안의 또 다른 '돌봄'의 역동이 생겨나는 경우는 더욱 여러 가지 상황을 겪게 된다. 금쪽같은 내 새끼를 남의 손에 맡기자니 내키지 않고, 내 손으로 키우자니 한 푼이라도 벌 수 있을 때 벌어야겠다는 생각에 손주를 돌보기 싫다는 부모님께 아이를 돌봐 달라고 부탁한다. 참고로 흔쾌히 손주 돌봐 주겠다고 하는 어른들은 주변에서 한 명도 못 봤다. 하지만 퇴근하고 돌아가는 길마다 마음이 무겁고 눈치가 보인다. 몸은 좀 편한데, 마음이 힘든 경우이다.

자식을 맡기고 난 이후 부모님과의 관계는 또 어떤가? 내 맘대로 아이를 키울 수도 없고, 그렇다고 어른들 하는 데로 아이를 맡기자니 옛날에 나를 키우듯이 하는 것만 같아서 속이 탄다. 그러던 중 부모님이 어디 아프다는 말만 들어도 가슴이 철렁 내려앉는다. 내가 늙은 부모에게 아이를 맡겨 힘들게 한 것만 같다. 이런 상황이 계속되면 부모님과 있는 시간도 편치 않고 마음의 골도 깊어진다. 고마운데 화가 나는 양가감정이 생겨나는 것이다. 비슷한 경험을 했을 것 같은 선배에게 상담하니 "애를 맡겼으면, 그때부터는 어른들 하는 데로 손 떼야지!"라고 말하는데 알아는 들어도 야속한 마음이 든다.

자의든 타의든 결혼을 하지 않은 자식의 입장은 어떨까? 다른 형제들은 각자의 가족이 있다는 핑계로 부모와 관계된 일을 싱글인 자녀에게 자연스레 넘겨지는 경우가 많다. 배우자도 없고 자식도 없어서 혼자인 것도 서러운데 세대 차이 나는 늙어가는 부모를 돌봐야 한다는 것은 여간 어려운 일이 아니다. 그런데 부모의 입장에서는 결혼도 못 해본(요즘은 돌싱이 되어 다시 혼자가 된 자녀도 포함해야 할

듯하다.) 평생 아픈 손가락인 싱글인 자녀가 어느 순간 부모의 곁에 없어서는 안 될 존재가 된다. 키오스크 없이 안 되는 세상, 각종 예약이며 배달이며 온라인이 넘쳐나는 세상에 가까이에서 나를 돌봐 주는 자식은 꼭 필요한 사람이다. 그러나 상황이 만들어 낸 돌봄 역할은 자신의 의지라기보다는 어쩌다가 하게 되는 경우가 많아서 당사자 간의 갈등, 형제자매 또는 그들의 배우자를 포함한 다른 가족원들과의 다각적인 갈등이 많이 발생하게 된다.

모든 사람은 늙어가고 가족 관계도 나이 들어간다. 농익은 관계는 짙어지기도 하지만, 아파지기도 한다. 가족은 친구랑 절교하는 것처럼 앞으로 안 보기로 하면 되는 사이가 아니기에 모두가 '마음의 문을 닫았다, 열었다.' 하면서 살아나간다. 그래서 무척 어려운 것이

'가족관계'이다. 모두 각자의 역할이 있고, 서로의 기대만큼을 충족하며 살아간다면 좋으련만 인생은 그렇지 않다. 계획대로만 되지 않고, 뜻한 바가 이루어지지 않을 때가 많다.

가족과 돌봄에 대한 담론은 시대가 변하면서 끊임없이 달라지고 있다. 여느 논문의 결론처럼 정답은 없고 제언만 넘쳐나는 현실 속에서 오늘도 자기 돌봄을 포함한 수많은 돌봄 역할을 하고 있는 가족원들 모두 대단한 하루를 보냈다.